É IMPORTANTE PRATICAR NOS TRACEJADOS SEGUINDO A DIREÇÃO DAS SETAS.

A a

Árvore
árvore

Pushkin/Shutterstock

A A

a a

CB053757

B b

Bola
bola

hugolacasse /Shutterstock

B B

b b

É IMPORTANTE PRATICAR NOS TRACEJADOS SEGUINDO A DIREÇÃO DAS SETAS.

É IMPORTANTE PRATICAR NOS TRACEJADOS SEGUINDO A DIREÇÃO DAS SETAS.

E e

Elefante
elefante

Memo Angeles /Shutterstock

F f

Flor
flor

Max Sudakov /Shutterstock

É IMPORTANTE PRATICAR NOS TRACEJADOS SEGUINDO A DIREÇÃO DAS SETAS.

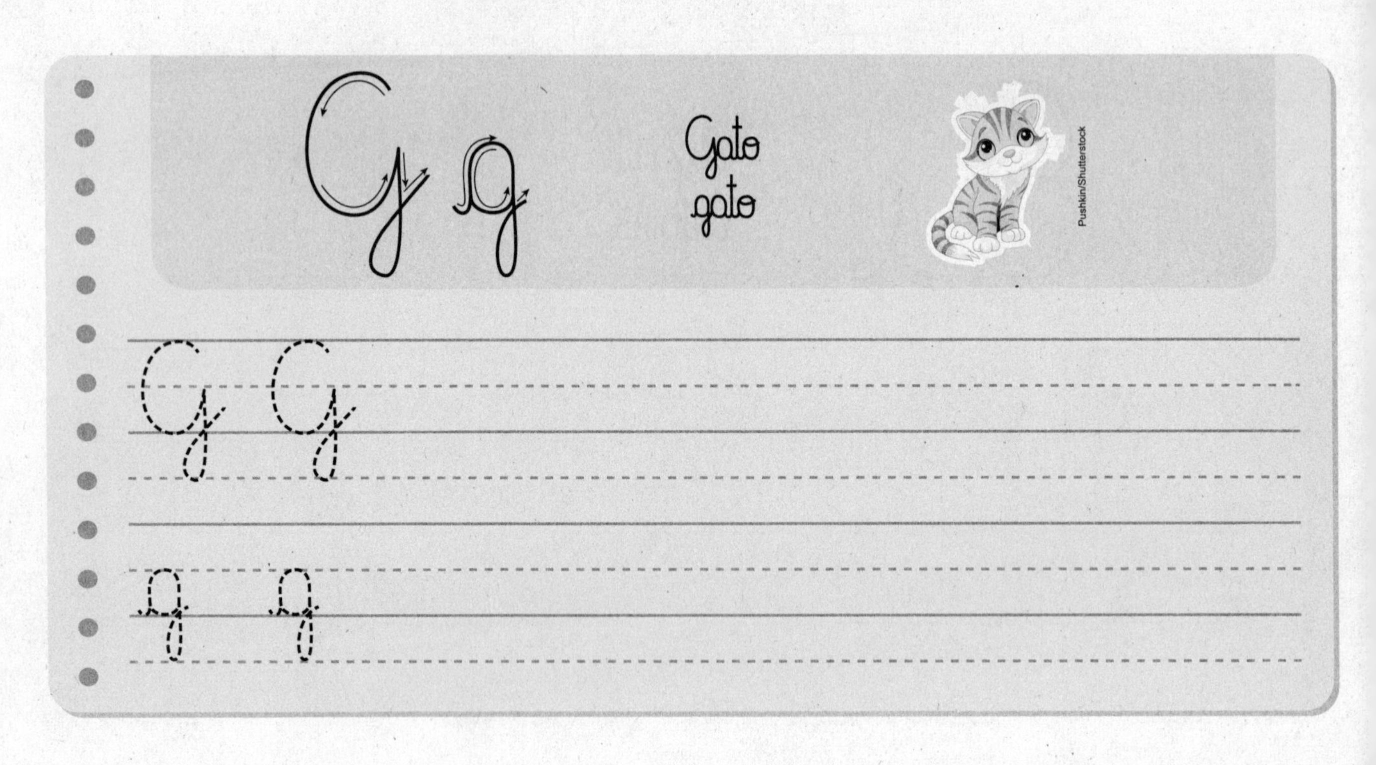

É IMPORTANTE PRATICAR NOS TRACEJADOS SEGUINDO A DIREÇÃO DAS SETAS.

É IMPORTANTE PRATICAR NOS TRACEJADOS SEGUINDO A DIREÇÃO DAS SETAS.

É IMPORTANTE PRATICAR NOS TRACEJADOS SEGUINDO A DIREÇÃO DAS SETAS.

M m

Mochila
mochila

Sarawut Padungkwan/Shutterstock

m m

m m

N n

Navio
navio

Klara Viskova/Shutterstock

n n

n n

É IMPORTANTE PRATICAR NOS TRACEJADOS SEGUINDO A DIREÇÃO DAS SETAS.

É IMPORTANTE PRATICAR NOS TRACEJADOS SEGUINDO A DIREÇÃO DAS SETAS.

R r

Rato
rato

Abrakadabra/Shutterstock

É IMPORTANTE PRATICAR NOS TRACEJADOS SEGUINDO A DIREÇÃO DAS SETAS.

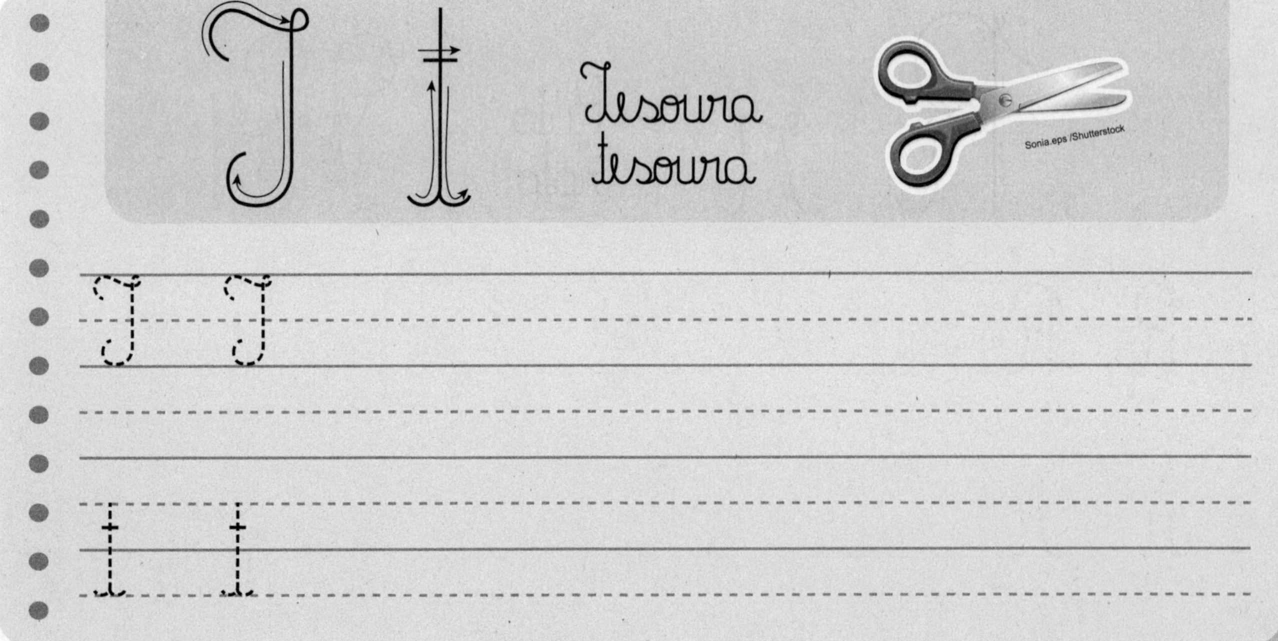

É IMPORTANTE PRATICAR NOS TRACEJADOS SEGUINDO A DIREÇÃO DAS SETAS.

É IMPORTANTE PRATICAR NOS TRACEJADOS SEGUINDO A DIREÇÃO DAS SETAS.

É IMPORTANTE PRATICAR NOS TRACEJADOS
SEGUINDO A DIREÇÃO DAS SETAS.

EXERCÍCIOS DE FIXAÇÃO

COPIE OS NOMES DOS DESENHOS NAS LINHAS ABAIXO
E CIRCULE OS QUE COMEÇAM COM A LETRA "A".

LEÃO

Matthew Cole/Shutterstock

____

GATO

Pushkin/Shutterstock

____

ABACATE

____

DADO

Igor Shikov/Shutterstock

____

VACA

Bojana/Shutterstock

____

ARCO-ÍRIS

____

AVIÃO

____

CHAPÉU

____

FLOR

Max Sudakov /Shutterstock

____

PATO

Matthew Cole/Shutterstock

____

RATO

Abrakadabra/Shutterstock

____

ÁRVORE

Pushkin/Shutterstock

____

EXERCÍCIOS DE FIXAÇÃO

LIGUE AS LETRAS MAIÚSCULAS ÀS LETRAS MINÚSCULAS.

S	x
Y	t
T	v
V	s
X	y

AGORA ESCOLHA UMA LETRA E FAÇA UM DESENHO CUJO NOME COMECE COM A LETRA ESCOLHIDA.

EXERCÍCIOS DE FIXAÇÃO

CONTORNE AS LETRAS IGUAIS E DEPOIS ESCREVA NO QUADRO A LETRA QUE NÃO TEM PAR.

ESCREVA AQUI A LETRA QUE NÃO TEM PAR.